AVERTISSEMENT!
Frisson l'écureuil vous prie d'appliquer une crème solaire avec un indice de protection 45 avant de lire ce livre.

Pour Sergio, Pablo et Nelson qui ont courageusement aidé à construire notre petit paradis sur plage.

Catalogage avant publication de Bibliothèque et Archives Canada

Watt, Mélanie, 1975-
[Scaredy Squirrel at the beach. Français]
Frisson l'écureuil à la plage / texte et illustrations de Mélanie Watt.

(Frisson l'écureuil)
Traduction de : Scaredy squirrel at the beach.
Public cible : Pour enfants de 4 à 8 ans.

ISBN 978-0-545-99228-2

I. Titre. II. Titre : Scaredy Squirrel at the beach. Français.
III. Collection : Watt, Mélanie, 1975- Frisson l'écureuil.

PS8645.A884S282714 2008 jC813'.6 C2007-905455-2



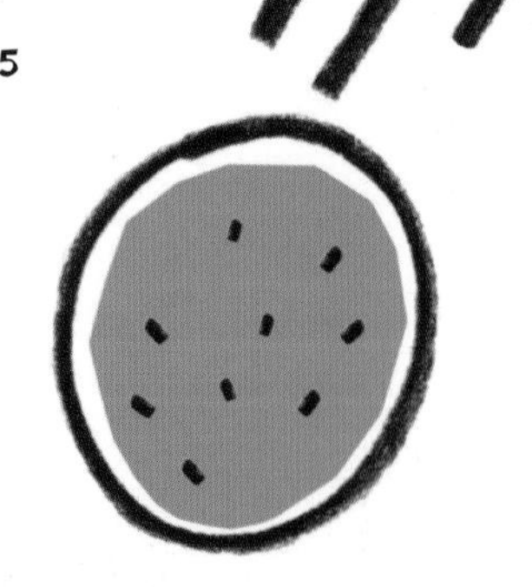

Édition publiée par les Éditions Scholastic,
604, rue King Ouest, Toronto (Ontario) M5V 1E1,
avec la permission de Kids Can Press Ltd.

11 10 9 8 7 Imprimé à Hong Kong CP130 13 14 15 16 17

Les illustrations de ce livre ont été achevées numériquement à l'aide de Photoshop.
Pour le texte, on a utilisé la police de caractères Potato Cut.
Conception graphique de Mélanie Watt et de Karen Powers

# Frisson l'écureuil

## à la plage

Mélanie Watt

Frisson l'écureuil ne va jamais à la plage. Il préfère passer ses vacances seul chez lui, en toute sécurité, plutôt que de risquer de se retrouver au milieu d'une foule menaçante.

Frisson l'écureuil
ne veut pas se
retrouver parmi :

une colonie de mouettes

une tribu de méduses

un troupeau de monstres marins

une bande de pirates

une tonne de noix de coco

« une gang » de homards

Alors, il préfère se construire une plage privée à sa façon.

# Comment construire une plage sécuritaire selon Frisson.

Pour commencer, il faut :

du papier
et des crayons

1 bâton

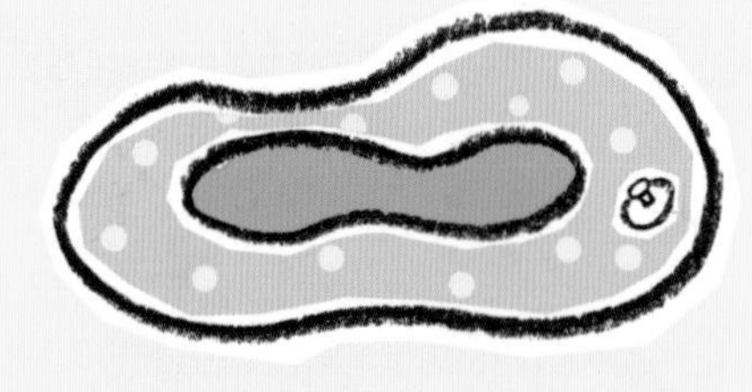

1 piscine gonflable

1 lampe de poche

1 sac de litière
pour chats

1 flamant rose en plastique

1. Dessiner un « décor ».

2. Le faire tenir avec le bâton.

3. Couvrir le sol de « sable ».

4. Gonfler « l'océan ».

5. Allumer le « soleil ».

6. Installer la « faune »...

Cela a l'air d'une plage, mais les bruits
ne sont pas ceux d'une plage.
Frisson s'aperçoit qu'il manque quelque chose :
le son apaisant de la mer.

**LA SOLUTION :**

Faire un tour à la VRAIE plage pour y chercher un coquillage qui répond aux critères suivants :

# COQUILLAGE

(Tableau de contrôle de la qualité et des propriétés)

ATTENTION! Le coquillage ne doit PAS, je répète, ne doit PAS être occupé!

Mais aller à la plage exige une bonne planification.
Premièrement, un passeport est essentiel...
SANS BACTÉRIES!
-PASSEPORT-
Famille : rongeurs
Type : écureuil volant
Prénom : Frisson
Nom : Écureuil
Lieu de naissance : Arbre
Pays : Inconnu
CET INDIVIDU N'A JAMAIS VOYAGÉ
S///000//SOS//INCONNU)))
Deuxièmement, il faut un plan...

# Plan de la plage

(MISSION : opération coquillage)

7 h 00 : Sauter dans la boîte et attendre
(Ne pas oublier passeport)

7 h 30 : Embarquer dans le fourgon postal
(Vérifier passeport)

8 h 42 : Arriver à la plage et attendre
le bon moment
(Ne pas perdre passeport)

11 h 42 : Sortir de la boîte et trouver
le coquillage
(Avoir passeport en main)

13 h 49 : Retourner dans la boîte
et attendre le fourgon postal
(Vérifier passeport)

18 h 00 : Rentrer à la maison
(Ranger passeport)

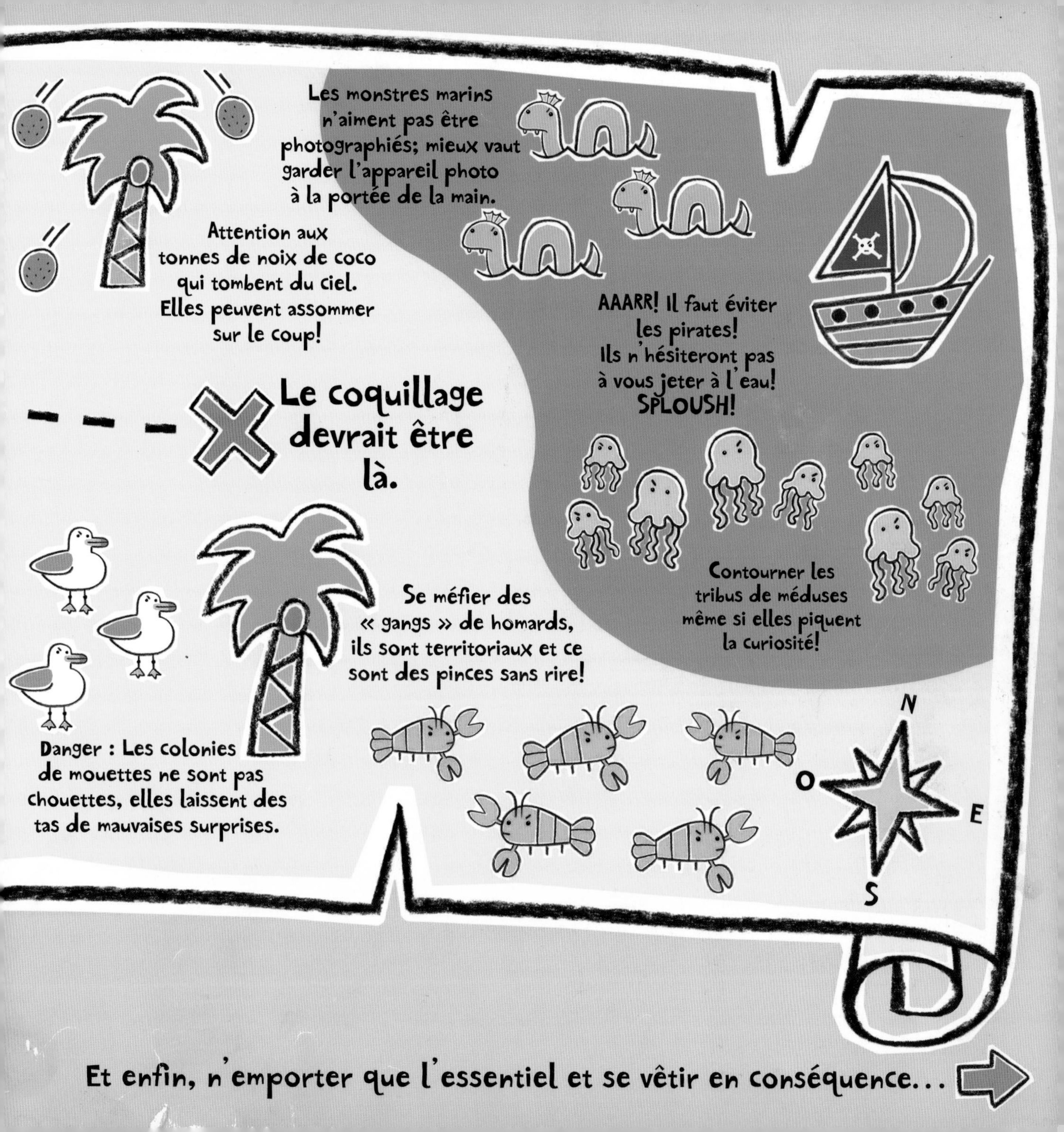
Les monstres marins n'aiment pas être photographiés; mieux vaut garder l'appareil photo à la portée de la main.
Attention aux tonnes de noix de coco qui tombent du ciel. Elles peuvent assommer sur le coup!
AAARR! Il faut éviter les pirates! Ils n'hésiteront pas à vous jeter à l'eau! SPLOUSH!
Le coquillage devrait être là.
Contourner les tribus de méduses même si elles piquent la curiosité!
Se méfier des « gangs » de homards, ils sont territoriaux et ce sont des pinces sans rire!
N
O
E
S
Danger : Les colonies de mouettes ne sont pas chouettes, elles laissent des tas de mauvaises surprises.
Et enfin, n'emporter que l'essentiel et se vêtir en conséquence...

# ÉQUIPEMENT DE PLAGE

* Cet écureuil est un professionnel : ne pas essayer de faire la même chose à la maison! *

**Article A :**
Casque protecteur contre les noix de coco

**Article B :**
Cache-œil pour déjouer les pirates

**Article C :**
Gilet de sauvetage pour ne pas couler

**Article D :**
Appareil photo pour décourager les monstres marins

**Article E :**
Boussole pour ne pas se perdre

**Article F :**
Bottes pour se protéger des méduses

**Article G :**
Élastique pour dompter les homards

**Article H :**
Gants de cuisine pour éviter les bactéries

**Article I :**
Frite pour distraire les mouettes

Et si rien ne fonctionne, faire le mort et envoyer un SOS!

Le lendemain matin, tel que prévu, Frisson plonge dans la boîte.

À 7 h 30, le fourgon postal vient le chercher. Ils roulent...

et roulent...

Puis à 8 h 42, Frisson arrive à destination. Il attend... et attend...

*ATTENTION*
ANIMAL
VIVANT
AVERTISSEMENT!
Cette boîte peut
contenir des traces
de noix.

11 h 42
Une FOULE apparaît!

Ces GENS
ne faisaient PAS
partie du plan!

Frisson panique...

et fait LE MORT.
30 minutes plus tard

1 heure plus tard

2 heures plus tard

Enfin, Frisson réalise que le coquillage se trouve juste sous son nez.

Entouré de gens inoffensifs, Frisson décide de se joindre à la foule.

À LA PLAGE!
Frisson bâtit des châteaux de sable...
Il prend des photos...

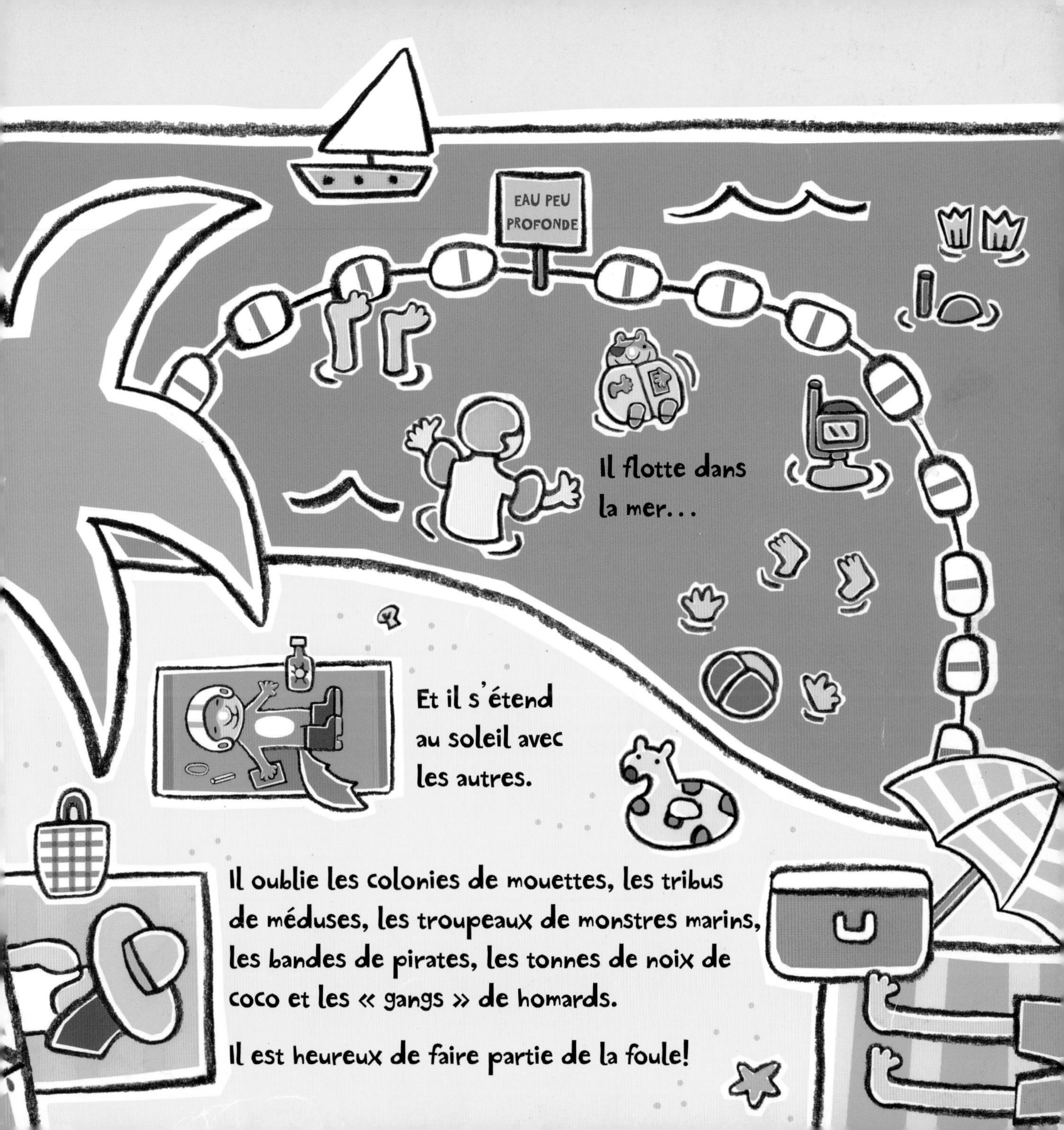


Il flotte dans
la mer...

Et il s'étend
au soleil avec
les autres.

Il oublie les colonies de mouettes, les tribus de méduses, les troupeaux de monstres marins, les bandes de pirates, les tonnes de noix de coco et les « gangs » de homards.

Il est heureux de faire partie de la foule!

SANS BACTÉRIES!

De retour chez lui après une journée bien remplie, Frisson remarque qu'il manque un petit détail pour compléter sa plage...

## Une FOULE!

Nains de
jardin

N.B. En ce qui concerne la prochaine visite de Frisson à la plage... ce sera peut-être plus tôt que prévu.
ALERTE ROUGE!